第一套儿童自主阅读分级读物

第3级

托马斯和朋友

宝宝自己读

给妈妈过生日

童趣出版有限公司编译 人民邮电出版社出版
北 京

在读故事前，先来看看小宝宝已经认识这些字了吗？掌握了它们，就来享受精彩故事吧！

第3级100字生字表

春	夏	秋	冬	爸	妈	男	女	蓝	黑
黄	桌	椅	窗	沙	发	盘	杯	勺	叉
刀	帽	衣	嘴	身	脸	眉	毛	鼻	耳
眼	睛	站	坐	吃	喝	进	退	停	歌
唱	舞	装	拿	得	担	洗	摔	吓	跳
问	花	朵	叶	面	包	蛋	糕	午	饭
里	外	左	右	能	岛	桥	日	病	球
饿	脏	乱	干	净	司	机	烟	名	她
孩	子	美	亮	电	惊	喜	急	难	谢
有	比	还	别	完	最	今	明	看	用

给妈妈过生日

奖励说明：小朋友，只要你加油读完一页，就可以得到一颗智慧海星！给它涂上你喜欢的颜色吧！

夏岛日

xià dǎo rì

夏日里的一天，胖总管的妈妈来岛上过生日。

小火车们想给她一个大大的惊喜。

胖总管说："她想去一个好玩的地方。"

托马斯说："我带她去山里吧！去看花朵和小草。"

可是山上的花花草草都黄了，胖总管的妈妈不想在山上玩。

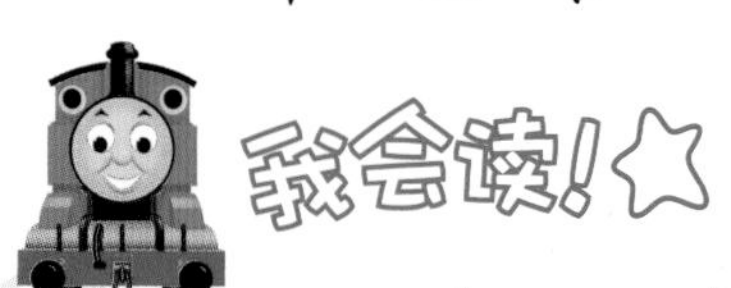

托马斯说："我们去看好美好美的大房子吧。"

可是房子里面的桌子、椅子坏了，大房子今天不开门。

天黑了，托马斯急坏了，可他想不出好地方了。

胖总管对窗外大叫："停下，托马斯！"

跑了一天，午饭也没吃，他们一家饿坏了，想回家了。

托马斯只好把他们送回车站。

胖总管的妈妈连生日蛋糕都没有吃到。

胖总管的妈妈坐在沙发上喝水，一脸不开心。

看到她不开心的样子，托马斯很难过。

他想啊想啊，一定要在胖总管的妈妈走前给她一个大大的惊喜。

“太好了，我有主意了！”托马斯高兴地大叫。

胖总管接到一个电话，让他们到屋外看看。

啊！他们不能相信自己的眼睛，外面有气球，还有好吃的生日蛋糕。

我会读！

小火车们一个接一个大声喊：“妈妈，生日快乐！妈妈，生日快乐！”

胖总管的妈妈开心坏了，她想，明天一定要告诉胖总管的爸爸，多多岛是一个多么好玩的地方！

我会读！

小火车动动手

小朋友，你知道妈妈的生日吗？想送妈妈一个什么样的生日礼物呢？给下面的气球和蛋糕涂上好看的颜色，送给妈妈吧，她一定很喜欢哦。

一年有四季，四季有不同的景色，可以有不同的活动，请你把季节、景色和活动连起来。你最喜欢哪个季节呢？为什么？

春 ·

夏 ·

秋 ·

冬 ·

xià	dǎo	rì	jīng	xǐ	huā	duǒ
夏	岛	日	惊	喜	花	朵
bà	mā	měi	lǐ	zhuō	yǐ	chuāng
爸	妈	美	里	桌	椅	窗
wài	wǔ	fàn	è	zhàn	chī	dàn
外	午	饭	饿	站	吃	蛋
gāo	zuò	shā	fā	hē	nán	diàn
糕	坐	沙	发	喝	难	电
yǎn	jīng	qiú	míng			
眼	睛	球	明			

胜利就是我加你

奖励说明：小朋友，只要你加油读完一页，就可以得到一颗智慧海星！给它涂上你喜欢的颜色吧！

BUSY SUPER BUSY

冬天晚上，多多岛上要为男孩女孩们放烟火。

胖总管说："詹姆士，下午你去拉烟火。"

我会读!

托马斯的眉毛、鼻子、耳朵和嘴巴都跑到一起了：“我也要拉烟火。”

“我是最有用的小火车！”詹姆士说完，开开心心地出发了。

托马斯听了，很生气。

不过，当他看见孩子们，又开心起来了。

詹姆士开心地跑啊跑啊。咦？他怎么动不了了。

“詹姆士坏在路上了，你快把他接回来！”胖总管对托马斯说。

“要是他来不了，孩子们就看不到烟火了。”托马斯急坏了。

太阳下山了，天黑黑的，托马斯开着灯去接詹姆士。

“我来帮你吧。”托马斯找到了詹姆士。

“谢谢！”詹姆士想到白天说的话，脸红了。

天越来越黑了，爸爸妈妈要带孩子回家了。

　　两个小火车听到远方的声音，急坏了："一定是高登要送孩子们回家了！"

我会读！

高登接上了大人和孩子，他就要出发了。

托马斯想到一个好主意，他让司机点了一只烟火，天一下亮了起来。

我会读！

“高登，快停下，停下！他们要回来了！”胖总管高兴地大叫。

托马斯和詹姆士跑呀跑呀，回到了车站。

孩子们高兴坏了，詹姆士对托马斯说：“谢谢你。”

“我和你在一起，才是最最有用的小火车。”

小火车动动手

桌上是你的全家福，给爸爸、妈妈和自己添上眉毛、眼睛、鼻子和嘴巴吧，看看你画的像不像。

复习页

dōng	nán	yān	méi	máo
冬	男	烟	眉	毛

bí	ěr	yòng	zuì	jí
鼻	耳	用	最	急

liàng
亮

小朋友，这本书的两个故事你都读完了！恭喜你获得了由托马斯颁发的“我能自己读”第3级证书！

“我能自己读”第3级证书

小朋友头像

小朋友：

经“小火车读书会”考察，你已成功读完本书两个故事，恭喜你获得了“我能自己读”第3级证书，拥有三个小火车奖章。

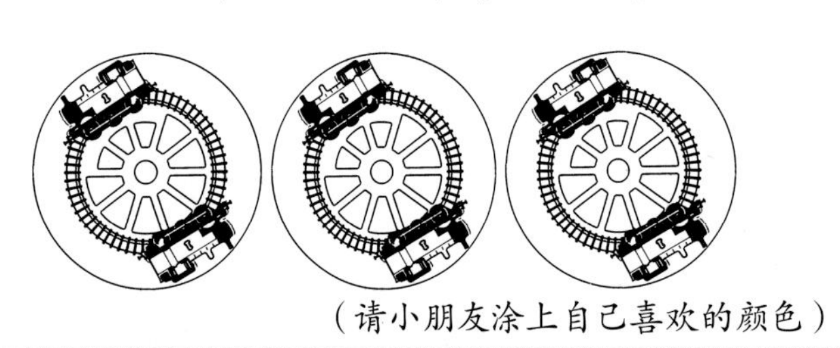

（请小朋友涂上自己喜欢的颜色）

托马斯

小朋友们，读完故事，一起复习这些字吧！

一 二 三 四 五 不 好 坏 哭 笑 天 地 草 人
火 车 门 家 我 你 他 气 力 牛 心 山 两 开
关 个 大 小 上 下 前 后 多 少 快 慢 老 拉
说 跑 走 回 出 来 去 想 六 七 八 九 十 早
晚 鸟 猫 狗 兔 羊 猪 雨 风 树 木 水 石 头
东 西 房 朋 友 红 绿 冷 热 对 错 接 送 听
到 见 叫 找 过 做 重 要 帮 忙 生 玩 先 飞
可 是 春 夏 秋 冬 爸 妈 男 女 蓝 黑 黄 桌
眉 毛 鼻 眼 睛 站 坐 吃 喝 进 退 停 歌 唱
椅 窗 沙 发 盘 杯 勺 叉 刀 帽 衣 嘴 身 脸
舞 装 拿 得 担 洗 摔 吓 跳 问 花 朵 耳 叶
面 包 蛋 糕 午 饭 里 外 左 右 能 岛 桥 日
病 球 饿 脏 乱 干 净 司 机 烟 名 她 孩 子
美 亮 电 惊 喜 急 难 谢 有 比 还 别 完 最
今 明 看 用

HiT entertainment

图书在版编目（CIP）数据

给妈妈过生日 / 艾阁萌（英国）有限公司著；童趣出版有限公司编译. — 北京：人民邮电出版社，2011.1
（托马斯和朋友宝宝自己读. 第3级）
ISBN 978-7-115-24398-0
Ⅰ.①给… Ⅱ.①艾… ②童… Ⅲ.①故事课—学前教育—教学参考资料 Ⅳ.①G613.3
中国版本图书馆CIP数据核字(2010)第221613号

托马斯和朋友宝宝自己读 第3级

给妈妈过生日

策划编辑 孙 蓓
责任编辑 程 蕾
责任校对 王 颜
版式设计 段 芳
封面设计 王 莹
排版制作 红方众文

编　译 童趣出版有限公司
出　版 人民邮电出版社
地　址 北京市丰台区成寿寺路11号邮电出版大厦（100164）
网　址 www.childrenfun.com.cn

读者热线：010-81054177　　经销电话：010-81054120

印　刷 北京尚唐印刷包装有限公司
开　本 889×1194　1/20
印　张 2.6
字　数 80千字
版　次 2011年1月第1版　2014年5月第17次印刷
书　号 ISBN　978-7-115-24398-0
定　价 10.00元